Olga et le decision maker

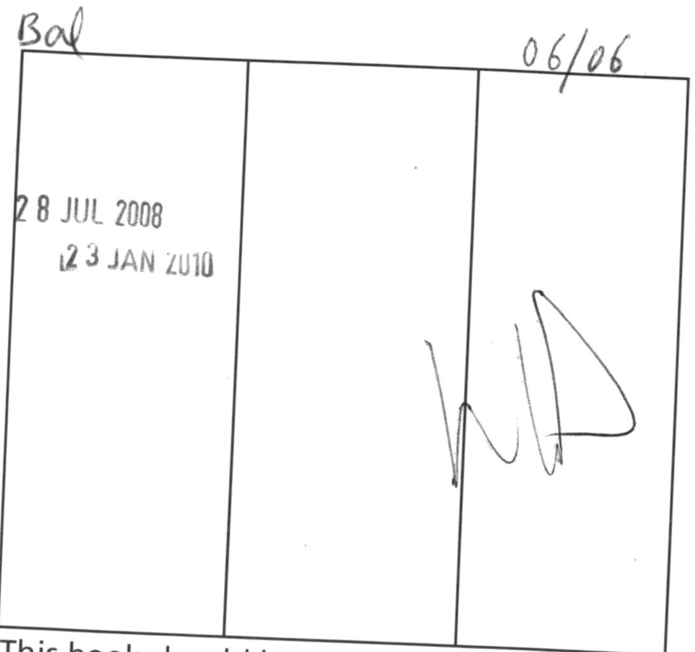

Geneviève Brisac

Olga et le decision maker

Illustrations de Michel Gay

l'école des loisirs

11, rue de Sèvres, Paris 6e

Loi n° 49.956 du 16 juillet 1949 sur les publications
destinées à la jeunesse : octobre 2004
Dépôt légal : mai 2006
Imprimé en France par Hérissey à Évreux
N° d'impression : 101401

Pour Maurice

Chapitre un

On sonna à la porte.

Olga et Sarah se regardèrent. Sarah pouffa.

Olga alla regarder par l'œilleton de la porte.

Il y avait un garçon jeune à l'air gentil, avec un énorme paquet de forme bizarre sous le bras.

– On n'ouvre pas, souffla Sarah.

– D'accord, souffla Olga.

Sarah était sa meilleure amie et elle était par conséquent toujours d'accord avec elle. Cela l'étonnait même d'être tellement d'accord.

On sonna encore. Et encore. Elles entendirent une voix qui criait :

– Je sais qu'il y a quelqu'un, ouvrez, c'est pour la livraison !

– Il a l'air triste, murmura Olga. Il a une voix triste. Est-ce que le loup derrière la porte des sept chevreaux avait ce genre de voix ?

Elle imagina une patte blanche et enfarinée de loup qui passait sous la porte.

Évidemment, il n'y avait rien de ce genre.

Quelqu'un frappait. Le garçon insistait.

Elles étaient tapies derrière le fauteuil jaune du salon, comme si on avait pu les voir de derrière la porte blindée.

S'il continue à frapper, c'est qu'il a une bonne raison, et la seule raison valable, c'est qu'il va se faire engueuler si on ne lui ouvre pas, pensa soudain Olga.

Elle, elle avait toujours peur de se faire engueuler. D'un bond, elle courut à la porte et ouvrit.

Le jeune homme était en train de redescendre l'escalier.

– Revenez ! cria-t-elle.

Il s'arrêta.

– Il faudrait savoir ce que vous voulez ! Ça ne se fait pas, de ne pas ouvrir la porte aux gens, c'est méchant !

Puis il sourit :

– Regarde. C'est moi qui ai préparé les fleurs, c'est le plus beau bouquet que j'aie jamais fait !

Et, entrouvrant le gros paquet en papier marron, il lui tendit une gerbe de roses, de bégonias et de nymphéas vraiment splendide. Une carte indiquait : *Pour monsieur Kitano*. Olga ne s'appelait pas du tout Kitano, mais elle ne pensa pas à dire que c'était une erreur.

– Ma mère passera payer, dit Olga très vite.

Elle avait chaud aux joues et un léger vertige.

Le livreur referma la porte et on l'entendit siffloter en remontant sur son vélo.

Au moins il n'était plus triste.

Sarah avait le fou rire, les larmes coulaient de ses yeux.

– Tu verrais ta tête, hurla-t-elle en se roulant par terre de joie.

– Je ne vois pas ce que tu trouves si drôle ! dit Olga.

Elle tenait l'énorme bouquet dans ses bras et avait des branches dans les yeux. De l'eau gouttait sur son pull… Des épines de rose lui griffaient les doigts.

Elle se dit que, pour la première fois de sa vie, elle comprenait les gens qui n'aiment pas les fleurs.

– Comment on va expliquer ça à maman ?

– On dira qu'un admirateur les lui a envoyées, dit Sarah, sérieuse.

Elle avait arraché la carte et la déchirait en petits morceaux.

– Et qui va payer ?

– Personne.

– Ça n'existe pas, personne, remarqua Olga.

– On verra bien, dit Sarah. Ils n'avaient qu'à nous faire payer quand on a téléphoné. C'est de leur faute, finalement.

C'était toujours sa réponse.

En fait, elle en avait trois : ne me stresse pas, on verra bien et c'est pas de ma faute.

– En tout cas, on arrête les blagues téléphoniques, dit Olga d'un ton sévère. C'est vrai, ça ne nous attire que des ennuis. Comment ils ont su que c'était nous qui avions commandé les fleurs ? On avait dit : « pour monsieur Kitano », et on avait donné l'adresse de ton professeur de karaté.

Sarah haussa les épaules.

– Ils ont dû voir le numéro d'appel, d'ailleurs on s'en fiche. Les autres blagues ont très bien marché, je te signale. On n'a qu'à faire un jeu avec les fleurs. Tu es mon amoureux, tu m'apportes un bouquet et je te le jette à la tête.

– C'est pas drôle, dit Olga, et arrête de dire « je te signale ». Ça m'énerve.

En fait, elle aurait trouvé drôle d'être la dame, de mettre des chaussures à talons, une cape, de se faire un chignon et de jeter les fleurs à la tête de Sarah. Mais, dans les jeux inventés par Sarah, les choses ne se passaient pas comme ça.

Elles faisaient des blagues téléphoniques depuis une semaine.

C'était un jeu simple. Il fallait juste un bottin, un appareil, un foulard pour masquer la voix, et des idées. Elles avaient eu beaucoup d'idées.

– Le mieux, dit Sarah, c'était quand même les déclarations d'amour sur les répondeurs.

Olga était d'accord, comme toujours.

Elles avaient bien ri.

Elles avaient dit : je t'aime à la folie, et comme tu me manques et je voudrais être toujours avec toi et je pense sans cesse à ton visage, à tes yeux, à tes doigts de pied.

Elles avaient chanté dans les répondeurs.

Elles avaient crié : ne m'oublie pas.

Elles avaient fait semblant de pleurer…

Et puis Olga avait dit : on arrête, parce qu'elle avait pensé que si quelqu'un les croyait vraiment, quelqu'un de complètement seul et de très laid, c'était horrible. Elle avait dit à Sarah que des gens pouvaient divorcer à cause d'elles, et un jour ils viendraient les voir et leur demanderaient pourquoi elles avaient fait ça. Et la seule raison, c'est que ça les faisait rire, de dire des mots d'amour.

– Ce qu'il y a, c'est que tu es vraiment trouillarde, dit Sarah. Ça me rappelle quand tu avais voulu qu'on arrête de noyer les fourmis dans une mini-piscine en sirop de menthe chez

ma grand-mère, parce que d'autres fourmis, si elles apprenaient le massacre, allaient venir se venger. Les blagues, si cela n'embête personne, ce n'est pas des blagues, je te signale ! D'ailleurs, il faut que je rentre chez moi. Maman m'attend.

Et elle mit son manteau et fila.

Olga resta seule. Elle regarda ses doigts de pieds qui dépassaient de ses pantoufles trouées.

Chapitre deux

– J'ai une idée, dit Sarah.

Elles étaient toutes les deux seules à la maison, elles en avaient assez de jouer aux Barbies, et il n'y avait rien de bien à la télévision.

Olga avait aussi une idée. Elle avait envie de jouer aux billes. Mais elle ne le dit pas, parce que Sarah n'avait jamais envie de faire quelque chose dont elle n'avait pas eu l'idée elle-même.

– On va jeter des verres d'eau par la fenêtre, dit Sarah, excitée. Je connais quelqu'un qui l'a fait, c'est génial.

Olga était d'accord, comme toujours.

Elles prirent deux verres dans le placard de la cuisine et ouvrirent la fenêtre du salon. Il faisait froid.

Elles jetèrent d'abord un verre sur une voiture qui passait, puis un autre sur plusieurs autres voitures.

– Pas très drôle, dit Sarah.

Elle visa un chien qui reçut de l'eau sur la queue et fit un bond. Elles se jetèrent en arrière en se tordant de rire. C'était un bon jeu.

– On prend une carafe, proposa Sarah.

Elles arrosèrent quelques passants, qui hurlèrent, mais continuèrent leur route sans vraiment chercher à savoir ce qui leur arrivait.

Ils levaient la tête, ne voyaient rien, grommelaient quelque chose et repartaient.

Elles jouèrent un moment. Mais c'était monotone.

Puis elles allèrent chercher un seau qu'elles remplirent à ras bord et apportèrent à la fenêtre en en renversant pas mal en route.

– Il faut viser quelqu'un de vraiment intéressant, dit Sarah.

Elles attendirent qu'un monsieur très antipathique passe.

Il arriva bientôt. Elles le repérèrent du bout de la rue. Très bien habillé, très raide, l'air méchant.

Elles prirent leur élan.

Schlaff! Le contenu du seau atterrit en plein sur la tête du monsieur qui stoppa net.

Il ne cria pas. Non. Il s'ébroua et se dirigea vivement vers la maison.

– Il vient, cria Olga.

– Il n'a pas le code, cria Sarah, ne sois pas si trouillarde.

Elles se cachèrent derrière le fauteuil jaune et attendirent.

Deux minutes plus tard, on sonnait.

– Ne bouge pas ! murmura Sarah.

Olga était terrorisée.

La sonnette sonnait maintenant sans interruption.

Elles se prirent la main.

Le silence revint.

– Ouf, on peut sortir, dit Olga, et elle alla vers la fenêtre pour la fermer. Tu sais, je crois qu'on peut arrêter maintenant.

Mais elles entendirent juste à ce moment-là la porte d'entrée qui s'ouvrait, et leur cœur s'arrêta de battre.

Deux voix résonnaient à côté. Une voix d'homme, très forte, qui criait, et une voix de femme.

– C'est maman, dit Olga, et elle se sentit devenir toute rouge.

– On dira qu'on arrosait les fleurs du balcon ! dit Sarah.

Le salon ressemblait à un champ de bataille. Il y avait de l'eau partout. Les verres et la carafe sur la petite table étaient renversés. Les Barbies étaient allongées par terre, leurs habits autour. Il y avait des chiffons et de la peinture sur des feuilles de papier journal.

La mère d'Olga entra, suivie par le monsieur.

Son regard fit le tour de la pièce. Elle ouvrit la bouche et la referma. Son visage était blanc.

Olga voulut parler.

Le monsieur se remit à crier.

Olga mit ses mains sur ses oreilles, et Sarah aussi.

– Allez dans votre chambre, dit la mère d'Olga d'une voix étranglée.

Elle les attrapa toutes les deux par les cheveux et les tira hors du salon.

– Vous êtes punies.

Elle les traitait comme du linge sale. Jamais Olga n'avait vu ça.

Et Olga et Sarah l'entendirent de loin expliquer un tas de choses au monsieur qui avait arrêté de crier, mais prononçait des mots comme: « ça ne ne se passera pas comme ça », et « délinquantes », et « procès » et « teinturier » et « malades mentales ».

Dans la chambre d'Olga, il y eut un silence lourd. Elles étaient assises toutes les deux sur le lit d'Olga et tiraient des fils du couvre-lit indien.

Sarah regardait les taches de rousseur de ses bras, elle en avait des milliers.

Olga regardait sa chambre comme si elle la voyait pour la dernière fois.

– On va peut-être aller en prison dit-elle.

– On s'est bien amusées quand même, dit Sarah.

Olga trouva qu'il était digne de dire oui.

– Oui, c'était super comme jeu, dit-elle.

Mais elle se demandait quelle punition allait leur tomber dessus.

Chapitre trois

Sur la table du diner, il y avait un gratin de courgettes qui sentait le brûlé. Et une salade d'endives. Les deux légumes que Olga détestait le plus.

Elle se demanda si c'était ça, la punition.

Papa avait sa tête des très mauvais jours.

Ses mains étaient posées sur la table et crispées, les jointures étaient toutes blanches. Mais c'était sa tête qui était impressionnante.

Bouche minuscule, yeux plissés horizontalement, front ridé verticalement, oreilles rouges et coins du nez verts.

Olga eut, un instant, envie de le dessiner, et cette envie diminua sa peur, qui, malheureusement, revint tout de suite et lui écrasa la poitrine.

Elle décida de se souvenir de cette vision pour plus tard, quand les ennuis seraient passés.

Un silence de plomb pesait sur la table ronde en bois.

Esther, la grande sœur d'Olga, fabriquait une famille de bonshommes minuscules en papier qu'elle alignait devant son assiette.

– Servez-vous, dit maman.

Papa se servit.

Esther se servit.

Maman se servit.

Olga espéra un instant être devenue invisible et elle ne bougea pas.

– Sers-toi, Olga ! dit Papa d'une voix dure.

Olga n'osa pas dire qu'elle n'avait pas faim, ni qu'elle avait mal à la tête. Elle ne dit rien et se servit très peu.

Pourtant c'était vrai : elle n'avait pas faim, elle avait très mal à la tête, et aussi au ventre.

– Alors ? dit Papa.

– C'est Sarah, commença Olga.

Mais elle ne continua pas. Elle sentait que ce n'était pas très élégant.

– Sarah quoi, dit Papa.

– Sarah Cordier, dit Olga très vite.

Esther éclata de rire.

– Ce n'est pas ce que je te demande, dit Papa, qui avait l'air de s'obliger à rester furieux.

Olga plongea sa fourchette dans sa part de gratin et touilla les courgettes dans l'espoir de les faire disparaître. Elle avait la tête vide, elle aurait aimé savoir quoi dire, mais rien ne venait.

Elle aurait aimé être à un autre endroit, ou la semaine dernière

– Tu as très bien compris, dit Papa. Je te demande des explications sur ton attitude à toi, sur tes actions à toi. Sarah n'est pas ma fille. C'est ma fille que je veux comprendre. Ma fille qui téléphone à des inconnus, commande des fleurs sans les payer, jette de l'eau glacée en plein hiver sur les gens qui passent.

– Au Moyen Âge, dit Esther, on appelait ça être possédée par le démon.

Maman regarda Esther, prête à la gronder, mais vit que c'était une blague destinée à détendre l'atmosphère.

– On a aussi fait des déclarations d'amour, dit Olga, d'une toute petite voix.

– Des quoi ? demanda maman.

Esther roula des yeux qui voulaient dire : tais-toi, Olga.

Mais Olga ne la voyait pas. À ce moment-là, on sonna à la porte.

Le cœur d'Olga s'arrêta.

– Encore des fleurs, avec un peu de chance ! dit Esther en se levant pour aller ouvrir.

– Tu n'es pas drôle ! cria maman.

On entendit une voix d'homme dans l'entrée.

Chapitre quatre

– Alphonse ! cria maman en se levant pour embrasser son frère.

– Quel bon vent t'amène ? dit Papa en enlevant son masque de père furieux.

Sa bouche redevint normale, les plis verticaux et horizontaux qui couvraient sa figure comme des peintures de guerre disparurent. Les coins de ses narines redevinrent roses.

– C'est la Sainte-Olga, dit Alphonse, je suis passé faire un petit cadeau à ma nièce !

Et, avant qu'on ait eu le temps de lui expliquer la situation, il avait tendu une petite boîte à Olga, qui se demanda si elle devait l'ouvrir.

Elle resta là, immobile, très gênée.

Elle n'osait pas regarder ses parents.

– Viens, Alphonse, allons dans le salon, dit maman.

Olga pensa : adieu, gratin maudit ! Et ne put s'empêcher de sourire.

– Ah, je vois que la bonne humeur revient dans cette maison, dit Alphonse. Je dois vous avouer qu'il y a une drôle d'atmosphère, vous avez noyé le chat ou quoi ?

Le chat sauta sur ses genoux, pour le rassurer.

– Salut Maurice, dit Alphonse, en le caressant derrière les oreilles, explique-moi ce qui se passe.

– C'est Olga, commença Esther.

– On verra ça plus tard, coupa Papa. Tu veux un café ?

– Linge sale en famille, je vois, dit Alphonse. Bon, Olga, tu l'ouvres, mon cadeau, ou je me vexe ?

À l'intérieur du paquet, il y avait une petite boîte métallique et ronde, une sorte de roulette.

Olga fit tourner le cadran. La flèche s'arrêta sur **oui**.

– Oui quoi ? demanda Esther.

– Je vous explique, dit Alphonse, plein de la fierté de celui qui sait.

– Attends, j'essaie, dit Esther.

Elle fit tourner le cadran et la flèche s'arrêta sur **non**.

– Non quoi ? demanda Olga.

– Je vous explique, répéta Alphonse en se servant de café qu'il renversa immédiatement sur son pantalon de velours marron.

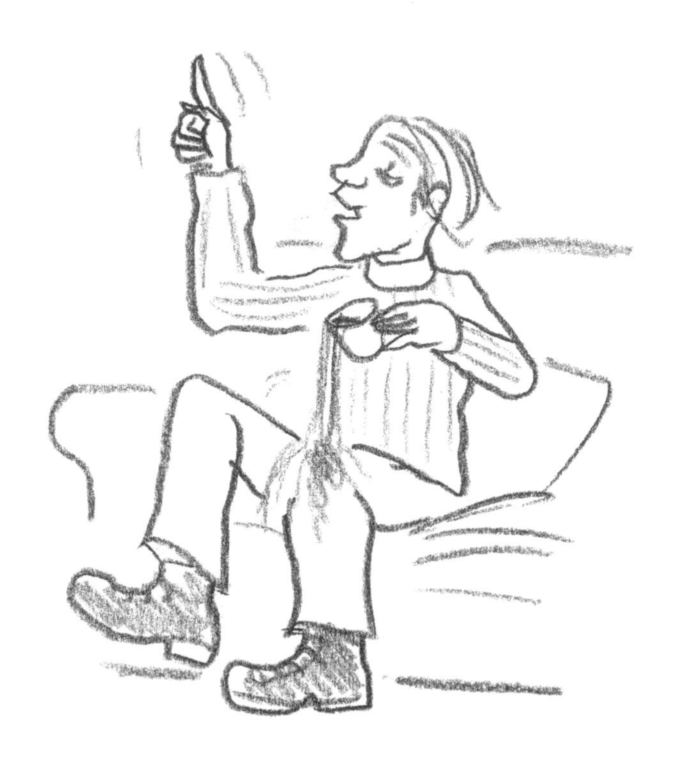

Olga pensa qu'Alphonse renversait toujours tout. C'est pourquoi il était toujours en marron. C'était sympathique, une grande personne qui renverse les choses.

Papa se précipita avec une éponge. Les rides verticales réapparaissaient sur son visage. Alphonse l'énervait.

Esther observait l'objet mystérieux. Les inscriptions en petites lettres noires se succédaient autour du cadran argenté.

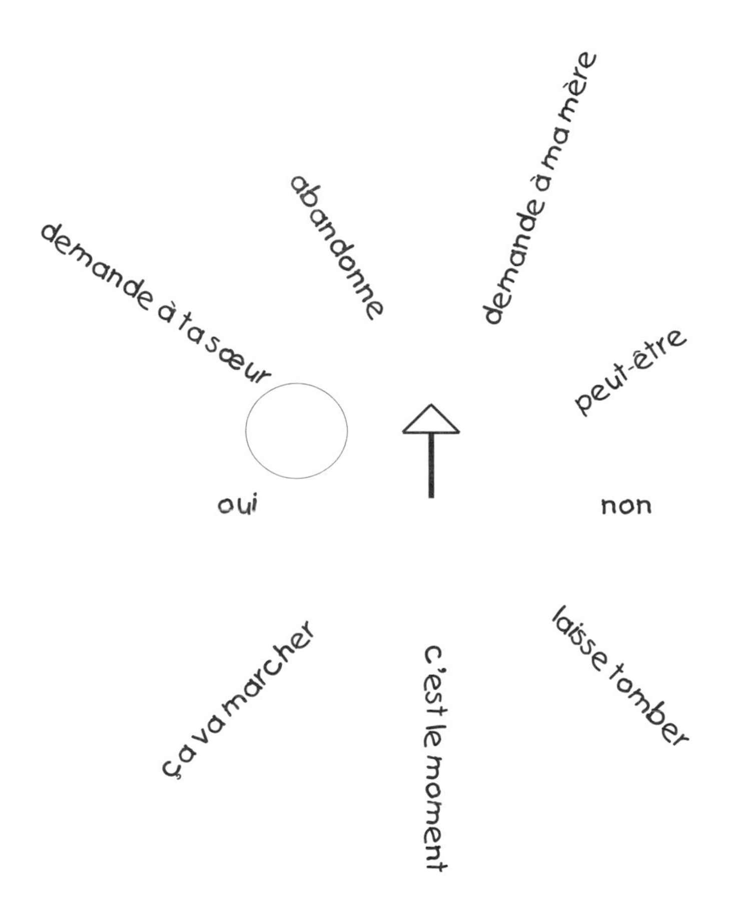

Il y avait neuf réponses devant lesquelles la flèche rouge pouvait s'arrêter.

– C'est un decision maker, dit Alphonse avec solennité.

– Et ça veut dire quoi ? demanda maman.

– Ne te fais pas plus bête que tu n'es ! dit Papa. Son humeur se dégra-

dait à toute vitesse. Tu sais ce que ça veut dire decision, non?

– Et maker, demanda Olga?

– En anglais, ça veut dire qui fait, dit Esther, fièrement. Par exemple: peace maker, qui fait la paix. Comme oncle Alphonse, ajouta-t-elle tout bas, juste pour Olga.

– Et on joue comment? dit Olga tout bas à Esther.

Oncle Alphonse s'était lancé dans une grande explication sur l'intérêt des jeux de hasard. Il ne faisait plus attention aux filles. Il se disputait avec Papa comme d'habitude, et Papa commençait à avoir les oreilles un peu rouges.

Olga et Esther filèrent dans leur chambre.

Chapitre cinq

– Allons-y, dit Olga très contente.

Elles étaient assises par terre sur le tapis. Elles avaient installé le decision maker entre elles et allumé la lumière juste au-dessus de lui. Esther mit un disque de valses de Vienne.

Le chat s'était installé entre elles deux et essayait de jouer, lui aussi.

Esther lui mit un petit chapeau rouge.

– Comme ça, ça fait plus casino, dit-elle.

Elles enroulèrent des paréos par-dessus leur pyjama et mirent des chapeaux de cow-boys.

– Est-ce que j'aurai ma troisième étoile ? demanda Esther et elle fit tourner le cadran magique

La flèche tourna lentement et s'arrêta exactement entre le **non** et le **oui**.

– Je recommence ! dit Esther.

– Non, c'est à moi, protesta Olga. En plus, c'est mon jeu, c'était à moi de commencer.

Mais le cadran tournait déjà.

Elles retinrent leur respiration.

La flèche vint lentement s'arrêter sur **oui**. Puis elle trébucha, rebondit jusqu'à **çavamarcher**. Esther poussa un énorme cri de joie.

Elle regarda avec soin la boîte argentée.

– Vas-y ! s'impatienta Esther.

– Je réfléchis, d'accord ? Decision maker, est-ce que je vais être punie ? demanda Olga à voix basse.

La flèche se mit à tourner, très longtemps.

Elle s'arrêta plusieurs fois à moitié puis repartit.

Olga essayait de la pousser mentalement vers le non.

Le cadran s'arrêta. La flèche était devant **demande à ta sœur**. Elle rebondit jusqu'à **c'est le moment**.

Olga recommença, sous les protestations d'Esther.

La flèche s'arrêta très vite devant le **non**.

Olga pensa qu'elle adorait son nouveau jeu. Elle adorait son oncle. Elle adorait même sa sœur.

Esther demanda :

– Est-ce que Thomas m'aime ?

La flèche s'arrêta devant demande à ta sœur.

Esther rejoua.

Olga ne protesta pas. Elle n'avait pas du tout envie de cette responsabilité. Elle aurait forcément dit oui, alors qu'elle n'était sûre de rien, et ça aurait forcément mal tourné.

La flèche s'arrêta devant le oui, après avoir hésité devant abandonne.

Elles demandèrent à tour de rôle si elles auraient de bonnes notes demain : peut-être. S'il allait neiger : demande à ma mère. Si Dieu existait : peut-être. Si papa allait finir par réparer leurs vélos : laisse tomber.

– C'est vraiment un jeu génial, dit Olga.

Et pour une fois, elle vit que sa sœur était d'accord avec elle.

Une voix parvint du salon :

– Allez vite vous coucher ! d'accord ?

Dans son lit, Olga se mit en boule, elle voyait la roue argentée qui tournait, tournait, et des oui, des non, des peut-être, en énormes lettres rouges dansaient devant ses yeux.

Est-ce que Sarah va aimer ce jeu ? se demanda-t-elle.

Elle eut envie de demander au decision maker son avis sur la question. Mais il fallait se lever, rallumer la lumière, elle renonça. Et elle s'endormit.

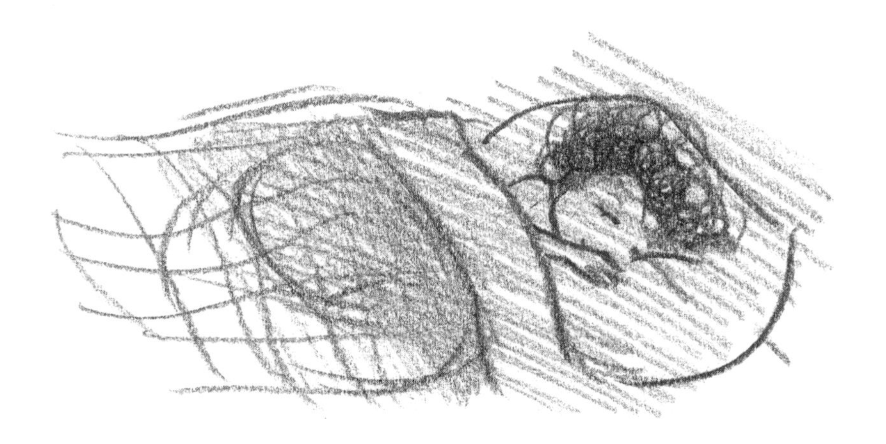

Chapitre six

Maman avait un air sévère, au petit déjeuner. Les fleurs embaumaient la cuisine, elles étaient splendides, mais rappelaient malencontreusement à Olga des choses qu'elle avait oubliées durant la nuit.

– Papa m'a offert les fleurs, dit maman. Et le monsieur que tu as arrosé a téléphoné pour dire que lui aussi il avait été jeune. Il a dit que sa

fille lui avait rappelé qu'il avait fait la même chose, à ton âge, et qu'il adorait raconter cette histoire.

– Ouahh, quel type honnête! remarqua Esther.

– Mais tu vas quand même être punie, dit maman. Je ne sais pas encore comment. On n'a pas eu d'idée, avec papa. On décidera ce soir. Tiens-toi tranquille, aujourd'hui, si je peux te donner un conseil.

– Vous pouvez chercher une idée avec le decision maker, dit Esther.

Olga lui jeta un regard noir.

– C'est mon jeu, dit-elle.

Elle avait hâte d'être le soir. Sarah viendrait et elles joueraient.

Pendant la journée, elle essaya d'expliquer le jeu à Sarah qui prit son air dédaigneux, mais accepta de venir après la classe.

À cinq heures, elles se précipitèrent chez Olga.

Le decision maker trônait sur son petit tapis rouge. Le chat le regardait, les pattes étirées devant lui.

– On fait des blagues téléphoniques d'abord, dit Sarah.

Et Olga sentit que, comme d'habitude, elle allait dire oui en pensant non.

– Il faut demander au decision maker dit-elle avec soulagement.

– Decision maker, est-ce qu'on fait des blagues téléphoniques ? demanda Sarah d'une voix enjôleuse.

Elle fit tourner le cadran.

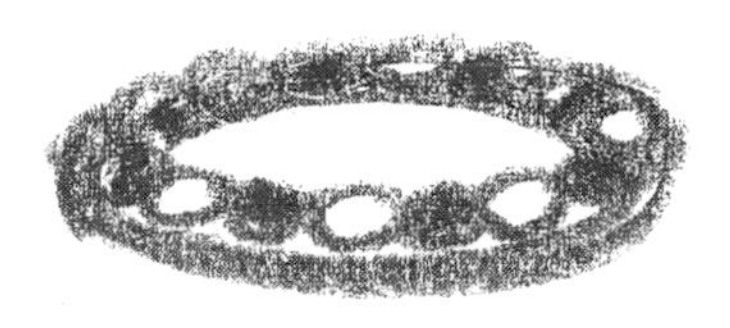

La flèche tourna et s'arrêta sur **non**.

Olga soupira d'aise.

– Il est idiot, ton jeu, dit Sarah, dépitée. Qu'est-ce qu'on fait alors ?

– Tu as droit à cinq questions, dit Olga, très sûre d'elle pour une fois. Mais d'abord, on doit se mettre en tenue.

Elles se déguisèrent en se chamaillant. Et dix minutes plus tard, deux princesses orientales s'approchaient de l'objet magique.

Sarah s'assit en tailleur devant le decision maker. Elle fit quelques

passes avec ses mains, comme on voit dans les films.

Elle prit une voix grave et articula :

– Decision maker, est-ce que je dois tuer ma petite sœur ?

– Tu es folle ! dit Olga

Mais le cadran tournait, et tournait, et la flèche s'approchait du oui.

Olga avait beau savoir qu'on jouait, elle avait peur. Elle commençait à préférer les blagues téléphoniques. Avec Sarah, on ne savait jamais ce qui allait se passer. Mais en même temps, c'est pour ça qu'elles étaient amies.

La flèche rebondit sur c'est le moment.

Et s'arrêta sur peut-être.

– Deuxième question, dit Olga en remontant son voile doré qui lui piquait les yeux.

Elle avait eu chaud. Mais « peut-être », ça veut presque dire non. Et en tout cas pas oui.

– Est-ce qu'il va y avoir un contrôle d'histoire, demain, demanda Sarah.

Elle fit tourner le cadran très vite, la flèche s'arrêta devant **ça va marcher**.

– Deux réponses pour une question, fit remarquer Olga avec fierté.

Sarah ne l'écoutait plus. Elle rejouait, concentrée.

– Est-ce que papa va retrouver un boulot ?

oui

– Est-ce que c'est Olga qui m'a volé ma règle ?

non

Olga se sentit très vexée par cette question mais elle ne fit aucune remarque. Sarah avait l'air tellement énervée qu'elle lui faisait un peu peur.

– Est-ce que ma mère va sortir de l'hôpital ?

Le cadran tournait vite. Olga regarda Sarah.

– Tu ne m'avais pas dit que ta mère était malade.

– Elle n'est pas malade, dit Sarah très vite, elle est triste, voilà, et je n'ai pas envie d'en parler. Tu sais très bien que je n'aime pas les pleurnicheurs.

Le cadran tournait lentement.

Olga avait envie de tricher, de l'obliger à dire oui. La flèche ralentit, s'immobilisa sur pas le moment, puis sur demande à ta sœur, et finalement sur demande à ma mère.

Sarah se détourna du jeu.

– Bon, on arrête, c'est pas très drôle, finalement.

– Mais si, c'est bien, protesta Olga. Et puis on doit aller voir maman pour lui demander.

Elles frappèrent à la porte du salon qui était fermée.

Épilogue

La mère d'Olga était en train de parler avec une personne qu'Olga ne reconnut pas tout de suite.

Sarah poussa un cri.

– Maman !

Et elle courut vers sa mère.

Olga sortit du salon et alla voir Esther.

Sa sœur écoutait une chanson de Renaud, elle lui fit signe de se taire. Elles écoutèrent ensemble, un moment.

Puis le silence se fit.

– Je crois que le decision maker est magique, dit Olga gravement, il a fait revenir la mère de Sarah.

– Tant mieux, dit gravement Esther.

Et elles se firent un sourire.

– J'ai compris pourquoi on avait fait toutes ces bêtises, dit Olga d'un ton rêveur.

– Tant mieux, dit Esther.

Et elle se replongea dans ses devoirs.

Olga se sentit très bien soudain.

Sarah allait redevenir normale, elles ne feraient plus de trucs fous, et il y avait le decision maker pour tous les moments difficiles de la vie.

Du même auteur à *l'école des loisirs*

Collection Mouche

La série des « Olga »

Olga
Les amies d'Olga
Les champignons d'Olga
Le Noël d'Olga
Olga au ski
Olga et le chewing-gum magique
Olga et les traîtres
Olga fait une fête
Olga n'aime pas l'école
Olga s'inscrit au club !
Olga va à la pêche

La série des « Violette »

Si l'ascenseur ne s'arrêtait pas…
Violette et la Mère Noël
Violette et les marionnettes
Violette et la boîte de sable

La craie magique